C0-AWK-029

Je me souviens
d'avoir cherché *oxymoron*
dans le dictionnaire

1115, avenue Laurier Ouest
Outremont (Québec) H2V 2L3
Tél. : 514 273-1687
Téléc. : 514 908-1354

Diffusion pour le Canada :
PROLOGUE
1650, boul. Lionel-Bertrand
Boisbriand (Québec) J7E 4H4
Tél. : 450 434-0306
Téléc. : 450 434-2627

Conception graphique : Feed

ISBN 978-2-922892-32-1

Je me souviens d'avoir cherché *oxymoron*
dans le dictionnaire

Dépôt légal :
Bibliothèque nationale du Québec
Bibliothèque nationale du Canada
1er trimestre 2008

Nous remercions de leur soutien financier
le Gouvernement du Québec – Programme de crédit
d'impôt pour l'édition de livres – Gestion SODEC.
Nous remercions le Conseil des Arts du Canada
de l'aide accordée à notre programme de publication.

HÉLÈNE DE BILLY

Je me souviens d'avoir cherché *oxymoron* dans le dictionnaire

récit

les éditions du passage

PROLOGUE

J'ai découvert les *Je me souviens* de Georges Perec à la fin des années quatre-vingt lorsque Sami Frey est venu en jouer l'adaptation théâtrale à Montréal. Les microsouvenirs de l'auteur de *La vie mode d'emploi* sont ceux d'un Parisien et remontent à la France de l'après-guerre. Néanmoins, par une sorte d'alchimie mystérieuse, je m'y étais reconnue. Par la suite, je me suis inspirée de la formule de Perec pour évoquer une série de réminiscences littéraires à l'occasion du quarantième anniversaire des Éditions du Boréal au printemps 2003. La présente version renvoie à des expériences plus personnelles mais également à des souvenirs communs dont certains ont été directement empruntés à Perec.

1. Je me souviens qu'à la fin des années cinquante,
les Automatistes se réunissaient dans un restaurant
de la rue Sherbrooke qui s'appelait *La Hutte*.

2. Je me souviens du passage de Jack Kerouac
au *Sel de la semaine*.

3. Je me souviens de ce graffiti sur un mur de Prague en 1968 :
Lénine réveille-toi, ils sont devenus fous.

4. Je me souviens qu'avec l'auxiliaire *avoir*, le participe passé
s'accorde avec le complément d'objet direct si celui-ci
est placé avant le verbe.

5. Je me souviens de : *Hello ! le soleil brille brille brille...*

6. Je me souviens que ma belle-mère avait été mise à la porte de son collège pour y avoir introduit un livre à l'Index.

7. Je me souviens du bruit des charrues à neige en hiver et de la frayeur que cela m'inspirait.

8. Je me souviens de la cloche qui marquait l'élévation durant la messe.

9. Je me souviens de : *Bienheureux les cœurs purs, le royaume des cieux est à eux.*

10. Je me souviens de : *Quand on se regarde, on se désole, quand on se compare, on se console.*

11. Je me souviens de : *Le-catéchisme-est-le-livre-dans-lequel-nous-apprenons-tout-ce-qu'il-faut-savoir-pour-aller-au-ciel.*

12. Je me souviens de la poupée qui avait perdu ses yeux dans *Les malheurs de Sophie.*

13. Je me souviens de :
Lundi matin
L'Empereur, sa femme et son P'tit Prince
Sont venus chez moi
Pour me serrer la pince
Comme j'étais parti
Le P'tit Prince a dit :
Puisque c'est ainsi nous reviendrons mardi, etc.

14. Je me souviens d'un cahier fermé par une boucle-cadenas, à couverture rouge et à tranche dorée, dans lequel je consignais une suite de petits faits et dont chaque entrée débutait par le mot « après » : *Après, j'ai fait mes devoirs. Après, je me suis brossé les dents. Après, j'ai fait ma prière.*

15. Je me souviens de la boucherie *Sanzot* dans *Tintin*.

16. Je me souviens de Darry Cowl, de Fernandel,
et des *Saintes Chéries*.

17. Je me souviens des *Sylvie* dans la collection
« Mademoiselle » chez Marabout Junior :
Sylvie hôtesse de l'air, *Sylvie voit double*, *Sylvie se marie*...

18. Je me souviens de l'album blanc des Beatles.

19. Je me souviens des cerceaux, des pogos, des bolos.

20. Je me souviens de : *Ma petite est comme l'eau / Elle est comme l'eau vive.*

21. Je me souviens d'Adamo et d'*Inch Allah.*

22. Je me souviens d'*Une saison dans la vie d'Emmanuel.*

23. Je me souviens que j'adorais cette expression : *Un frisson lui parcourait l'échine.*

24. Je me souviens que la Vierge était apparue à Fatima un 13 mai et que, puisque c'était la date de ma naissance, j'aurais aimé y trouver une signification particulière.

25. Je me souviens que les noms en *-ou* prennent un *s* au pluriel, sauf les sept exceptions suivantes qui prennent un *x* : *hibou, pou, chou, genou, joujou, bijou*... J'ai oublié l'autre.

26. Je me souviens de :
Ah ! comme la neige a neigé !
Ma vitre est un jardin de givre.
Ah ! comme la neige a neigé !
Qu'est-ce que le spasme de vivre
À tout l'ennui que j'ai, que j'ai !...

27. Je me souviens qu'Émile Nelligan a été interné à l'âge de 20 ans et qu'il a terminé ses jours à Saint-Jean-de-Dieu.

28. Je me souviens du *Journal d'Anne Frank*. Ma mère me l'avait offert dans l'édition du Livre de Poche. Sur la couverture, il y avait une photo de la jeune fille avec une page de son manuscrit. Je me souviens d'avoir été fascinée par le contraste qui existait entre le caractère sacré de ce fragment d'écriture et la candeur de son auteur.

29. Je me souviens d'avoir rédigé un conte où mon père n'était pas mon père, où ma mère n'était pas ma mère et où mon frère tuait le chien.

30. Je me souviens de ce professeur de français qui m'avait dit : *Vous écrivez bien*, et qui sombra dans une dépression nerveuse quelque temps après.

31. Je me souviens d'avoir été étonnée en apprenant que *doublevé* se disait *debelliou* en anglais.

32. Je me souviens qu'Avida Dollar est l'anagramme de Salvador Dali et que c'est André Breton qui lui trouva ce surnom révélateur.

33. Je me souviens que j'appréciais certaines métaphores culinaires comme *manger son pain noir* ou *parler avec une patate chaude dans la bouche*.

34. Je me souviens de : *Les chemises de l'archiduchesse sont-elles sèches archisèches ?*

35. Je me souviens qu'à Québec mon cousin Hubert était le grand champion d'un jeu-questionnaire télévisé intitulé *Banque Boni* et que sa course victorieuse avait été interrompue lorsqu'on lui avait demandé de compléter une liste de proverbes. À la question *Pour vivre heureux*, il avait répondu *restons couchés* et non pas *restons cachés*, comme il aurait dû le faire.

36. Je me souviens d'avoir pleuré en lisant *Bonheur d'occasion*.

37. Je me souviens de Florentine Lacasse, de Jean-le-Maigre et de Bérénice Einberg. Florentine Lacasse était « waitress » dans un « Quinze cennes » ; Jean-le-Maigre était le sixième d'une famille de... seize et Bérénice Einberg, l'héroïne de Réjean Ducharme dans *L'avalée des avalés*, appelait sa mère « Chat mort ».

38. Je me souviens que, lors de son premier séjour à Paris après la guerre, Anne Hébert avait pris une chambre dans un petit hôtel où avait habité Baudelaire et qui s'appelait l'Hôtel du Quai Voltaire.

39. Je me souviens qu'Alain Grandbois avait descendu le Yang-Tseu-Kiang en fumant de l'opium.

40. Je me souviens que le véritable nom du frère Marie-Victorin était Conrad Kirouac.

41. Je me souviens qu'en visite officielle au Québec, André Malraux, alors ministre de la Culture dans le gouvernement De Gaulle, s'était fait dire par une dame : *Monsieur Malraux, vous parlez tellement bien, vous devriez écrire.*

42. Je me souviens qu'avant la Révolution tranquille, il se publiait au Québec moins de 25 livres par année.

43. Je me souviens qu'à Montréal, le nonce apostolique avait interdit que soit célébré le centième anniversaire de la mort de Balzac sous prétexte qu'il s'agissait d'un auteur impie mais que, défiant les autorités religieuses, le libraire Henri Tranquille organisa une fête fabuleuse en l'honneur de ce vieil Honoré où toute la bohème fut conviée.

44. Je me souviens de : *Place à la magie ! Place aux mystères objectifs ! Place à l'amour ! Place aux nécessités !* et que Paul-Émile Borduas avait perdu son emploi à l'École du meuble à la suite de la publication de *Refus global*.

45. Je me souviens de cette phrase de Jacques Ferron :
Au fond, on n'aime que son sexe.

46. Je me souviens de *La violence au pouvoir*
de Maurice Champagne.

47. Je me souviens de Lee Harvey Oswald.

48. Je me souviens des titres des pièces de Marcel Dubé :
Zone, Le temps des lilas, Les beaux dimanches...

49. Je me souviens de l'assassinat de Sharon Tate.

50. Je me souviens de : *Ma tante Mahaut, la gueuse !*
et que c'est Jean Piat qui interprétait le rôle du comte d'Artois dans la première adaptation télévisée des *Rois maudits* de Maurice Druon.

51. Je me souviens de ce refrain de Gilles Vigneault :
Tous les cerfs-volants se ressemblent, toujours le même enfant qui pend au bout du fil...

52. Je me souviens que le poète Sylvain Garneau avait baptisé sa femme Amulette.

53. Je me souviens que Gaston Miron, avant d'être publié, avait travaillé comme manutentionnaire pour un libraire. Que ce libraire s'appelait Beauchemin et que Miron n'arrêtait pas de conseiller des lectures à tout un chacun.

54. Je me souviens que, mis au défi par des collègues d'utiliser le mot *banane* dans son bulletin de nouvelles de 22 heures, Gaétan Barrette s'était présenté aux téléspectateurs de Radio-Canada avec ces mots : *Bananes et messieurs, bonsoir.*

55. Je me souviens de : *Cuba coule en flammes au milieu du lac Léman pendant que je descends au fond des choses.*

56. Je me souviens que Hubert Aquin avait écrit *Prochain épisode* alors qu'il était emprisonné pour avoir voulu fomenter la révolution au Québec.

57. Je me souviens de Claude Gauvreau à *La nuit de la Poésie...*

58. Je me souviens de :
speak white
tell us again about Freedom and Democracy
nous savons que liberté est un mot noir
comme la misère est nègre...
speak white
de Westminster à Washington relayez-vous...

59. Je me souviens du nouveau roman, de la nouvelle vague et de la création collective.

60. Je me souviens des Black Panthers, d'Angela Davis et d'un livre que j'avais dévoré sur les Tupamaros, nom des guérilleros qui s'affairaient en Uruguay.

61. Je me souviens que Robert Charlebois avait mis en musique *Sensation* d'Arthur Rimbaud.

62. Je me souviens de : *Sur le Mont Athos, il y a une punaise moi / Sur le Mont Athos sur une chaise quoi...* et que Marcel Sabourin avait écrit cette chanson pour Robert Charlebois pendant les événements de mai 68 à Paris.

63. Je me souviens que mon frère Pierre avait écrit une nouvelle à partir des *Noces de juin* de Jean Paul Lemieux.

64. Je me souviens qu'on disait de *La crucifixion en rose* de Henry Miller qu'elle était le guide Michelin des bordels de Paris.

65. Je me souviens que, dans sa *Lettre aux Américains*, Jean Cocteau compare New York à *une femme couverte de bijoux et agitée de tics nerveux.*

66. Je me souviens de :
La ville s'endormait et j'en oublie le nom
Sur le fleuve en amont
Un coin de ciel brûlait.

67. Je me souviens d'avoir été surprise d'apprendre que le poète latin Ovide était l'auteur de cette maxime maintes fois citée et qui provient de ses poèmes d'amour : *Je ne puis vivre sans toi ni avec toi.*

68. Je me souviens de la confiance avec laquelle François Villon s'adressait à la postérité : *Frères humains qui après nous vivez.*

69. Je me souviens de : *Aye Boss les Unions quossa donne ?*

70. Je me souviens de : *Y a jusse en Irlande que les protestants pis les catholiques ont encore assez de courage pour s'entretuer pour leur foi.*

71. Je me souviens qu'avant d'écrire ses monologues, Yvon Deschamps avait été batteur pour Claude Léveillée, lequel avait été le compositeur attitré d'Édith Piaf à la fin des années cinquante à Paris.

72. Je me souviens de : *Je me fous du monde entier quand Frédéric me rappelle les amours de nos vingt ans, notre chez-soi notre quartier...*

73. Je me souviens de : *On est six millions faut se parler.*

74. Je me souviens que le poète Michel Garneau, qui animait un magazine culturel à la radio de la CBC, avait offert des chips à un type qui travaillait dans une salle de montage à côté de la sienne et que ce type s'appelait Glenn Gould.

75. Je me souviens que, dans *Le monde de Barney* de Mordecai Richler, le narrateur passe sa soirée de noces à courtiser une autre femme que la sienne, tandis que les *Canadiens* s'acheminent vers une quatrième coupe Stanley consécutive. Score final : Montréal, 5 – Toronto, 3.

76. Je me souviens du *Second rouleau* d'Abraham Klein.

77. Je me souviens que, les jours de canicule, le poète Irving Layton allait nager dans le fleuve, près de Kahnawake.

78. Je me souviens de la chanson de Jean-Pierre Ferland :
Si on s'y mettait
Si on s'y mettait.

79. Je me souviens de *Do It* et de *Steal this book* de Jerry Rubin. Mon cousin Daniel Godbout, prenant ces injonctions au sérieux, avait volé les deux bouquins dans une librairie de Vancouver.

80. Je me souviens des *Nègres blancs d'Amérique*.

81. Je me souviens de : *Un petit pas pour l'homme, mais un bond de géant pour l'humanité*, et que j'avais 15 ans lorsque Neil Armstrong a marché sur la lune.

82. Je me souviens de *Paris, je ne t'aime plus* et de : *Vois Pierrot, la lune, cette Américaine blafarde qu'ils ont vidée de son pipeau.*

83. Je me souviens de : *Sur ce sentiment inconnu dont la douceur, l'ennui m'obsèdent, j'hésite à apposer le nom, le beau nom grave de tristesse.*
Et que Françoise Sagan avait 18 ans lorsqu'elle publia *Bonjour tristesse*, premier roman qui connut un succès foudroyant.

84. Je me souviens de *La cloche de verre* de Sylvia Plath, du *Complexe d'Icare* d'Érica Jong et du *Carnet d'or* de Doris Lessing.

85. Je me souviens d'une chatte que j'avais baptisée Momonne en l'honneur de l'auteur du *Deuxième sexe*.

86. Je me souviens que, dans ses *Histoires naturelles du Nouveau Monde*, Pierre Morency recense 80 espèces de bécasseaux !

87. Je me souviens de Patrick Straram le Bison Ravi, du *Temps fou*, de la revue *Mainmise*, du Parti Rhinocéros et de Jean Basile.

88. Je me souviens de *Silent Spring* de Rachel Carson.

89. Je me souviens du *Trésor de la langue* de René Lussier.

90. Je me souviens de *Lonely Child* de Claude Vivier.

91. Je me souviens de :
Passent les jours et passent les semaines
Ni temps passé
Ni les amours reviennent
Sous le pont Mirabeau coule la Seine.

92. Je me souviens que, dans *Les belles-sœurs* de Michel Tremblay, Germaine Lauzon gagne un million de timbres Gold Star et que c'est pour l'aider à coller ses timbres dans le livret qu'elle a invité ses voisines dans sa cuisine.

93. Je me souviens que la mère de Michel Tremblay se faisait appeler Nana et qu'elle est née au Sakastchewan.

94. Je me souviens qu'André Brassard buvait du Cherry Coke.

95. Je me souviens que l'écrivain Norman Mailer avait poignardé sa femme dans une soirée. Et qu'il s'était présenté à la mairie de New York.

96. Je me souviens que Roger Lemelin s'en était pris furieusement à la murale de Jordi Bonet à Québec.
Et aussi que ladite murale portait ces mots de Claude Péloquin : *Vous êtes pas écœurés de mourir bande de caves ?*

97. Je me souviens du joual.

98. Je me souviens de la contre-culture.

99. Je me souviens que Georges Dor avait eu un petit rôle dans un film de Gilles Groulx qui s'appelait *Le chat dans le sac*, ou plutôt *Entre tu et vous*.

100. Je me souviens de Mouffe dans *Jusqu'au cœur* de Jean-Pierre Lefebvre.

101. Je me souviens de Guy Lécuyer dans *La vie heureuse de Léopold Z*.

102. Je me souviens que Gilles Carle avait réalisé un film sur le jeu d'échecs qui mettait en vedette Fernando Arrabal.

103. Je me souviens de : *Il n'y a pas de place nulle part pour les Ovide Plouffe du monde entier*.

104. Je me souviens que Raôul Duguay avait un rôle dans un film de Jean-Pierre Lefebvre qui s'appelait *Mon amie Pierrette*.

105. Je me souviens de *J'm'appelle Garance, c'est l'nom d'une fleueueur*.

106. Je me souviens que Pierre Bourgault jouait un dompteur de vers dans *Léolo* de Jean-Claude Lauzon.

107. Je me souviens que c'est Jean-Pierre Ronfard qui jouait Machiavel dans *Le confort et l'indifférence*.

108. Je me souviens de : *Il y a trois choses importantes en histoire. Premièrement, le nombre. Deuxièmement, le nombre. Troisièmement, le nombre.*

109. Je me souviens des dernières phrases de l'hommage de Denys Arcand à Maurice Séguin : *L'hiver, il portait un béret. Mon père aussi.*

110. Je me souviens de Geneviève Bujold dans *Kamouraska*.

111. Je me souviens que, pour son film intitulé *Pour la suite du monde*, Pierre Perrault avait convaincu les habitants de l'île aux Coudres de reprendre la pêche au marsouin.

112. Je me souviens que Paul Bowles n'approuvait pas l'adaptation qu'avait faite Bernardo Bertolucci de son roman *Un thé au Sahara*, mais qu'il était néanmoins apparu dans le film.

113. Je me souviens que, dans *2001 : l'Odyssée de l'espace*, l'ordinateur s'appelle HAL.

114. Je me souviens de cette maxime des Marx Brothers reprise par Woody Allen : *Je ne voudrais jamais faire partie d'un club qui m'accepterait comme membre.*

115. Je me souviens de la Mustang blanche de Jean-Louis Trintignant dans *Un homme et une femme* et aussi du numéro de téléphone d'Anouk Aimée dans le film. C'était : *Montmartre 1540.*

116. Je me souviens de Marshall McLuhan dans *Annie Hall*.

117. Je me souviens qu'Antonin Artaud était aussi acteur et qu'il avait interprété le rôle de Napoléon dans le film d'Abel Gance.

118. Je me souviens de Claude Jutra.

119. Je me souviens d'André Mathieu et aussi que son *Concerto de Québec* avait servi de trame musicale pour un film.

120. Je me souviens de Gilbert Larocque et de son roman *Les masques*. Sur la page de garde, j'avais écrit : très beau.

121. Je me souviens qu'Arnold Schwarzenegger, qui venait d'être couronné Monsieur Univers, avait présidé au lancement de *Louis Cyr l'homme le plus fort du monde* au Centre Paul-Sauvé à Montréal, et qu'à la tête de sa maison d'édition, Victor-Lévy Beaulieu, qui publiait le livre de Ben Weider, agissait ni plus ni moins comme officiant dans ce mariage inusité entre le monde des muscles et celui de la littérature.

122. Je me souviens de ma première séance de signature. Il n'était venu personne à part ma mère et ma tante Yvonne. Ma tante Yvonne avait dit : *C'est un ben beau livre, mais à vingt piastres je préfère attendre puis l'emprunter à ta mère.*

123. Je me souviens que le geai bleu est l'ennemi du chasseur et que c'est Jean-Paul Riopelle qui me l'a appris.

124. Je me souviens de la phrase de Montaigne : *Parce que c'était moi, parce que c'était lui.*

125. Je me souviens de : *Mes pensées ce sont mes catins.*

126. Je me souviens que Dany Laferrière s'était procuré les 17 volumes du *Journal* de Paul Léautaud et qu'il pouvait citer de mémoire des extraits du *Neveu de Rameau.*

127. Je me souviens que, dans *Les confessions*, Jean-Jacques Rousseau promet de tout dire.

128. Je me souviens qu'à Petite-Rivière-Saint-François, Gabrielle Roy avait pris l'habitude de ne conserver une idée que si elle parvenait à s'en souvenir après avoir fait le trajet qui la séparait de sa balançoire à sa table de travail.

129. Je me souviens de : *Y a le tour de l'île, quarante-deux milles de choses tranquilles.*

130. Je me souviens que Félix qualifiait de *maudits fils de feu* les lignes de transmission qui enjambaient le Saint-Laurent devant chez lui.

131. Je me souviens que Beaumarchais était espion, Stendhal, soldat et que Vladimir Nabokov appréciait beaucoup la chasse aux papillons.

132. Je me souviens que Balzac se décrivait comme un *galérien de plume et d'encre.*

133. Je me souviens de Loulou, le perroquet dans *Un cœur simple* de Gustave Flaubert.

134. Je me souviens de la biographie d'Edgar Varèse par Fernand Ouellette.

135. Je me souviens de : *Québécois nous sommes Québécois. Le Québec saura faire s'il ne se laisse pas faire…*

136. Je me souviens que, dans un de ses romans, Marie-Claire Blais fait dire à son personnage : *Devant la stupéfaction de la vieillesse, nous ne sommes que cela : des êtres mendiant l'amour.*

137. Je me souviens que Verlaine a tiré sur Rimbaud et que ces deux coups de revolver lui ont valu plusieurs mois de prison.

138. Je me souviens que Virginia Woolf avait rédigé la biographie d'une poétesse anglaise en racontant la vie de son chien et que ce chien s'appelait Flush.

139. Je me souviens que Marguerite Yourcenar avait commencé à rédiger *Mémoires d'Hadrien* à 18 ans et que, tombant sur son manuscrit 20 ans plus tard, elle ne l'avait pas reconnu.

140. Je me souviens qu'Agatha Christie avait écrit son premier roman pour se changer les idées.

141. Je me souviens que Henry James avait entrepris *Le tour d'écrou* comme un travail alimentaire, pour gagner sa vie.

142. Je me souviens que le grand caniche de John Steinbeck s'appelait Charley.

143. Je me souviens que Borges était aveugle.

144. Je me souviens que Paul Léautaud vivait dans un appartement crasseux en compagnie d'une cinquantaine de chats.

145. Je me souviens de Grey Owl et de ses castors apprivoisés et aussi que ce personnage légendaire était un imposteur. Né en Angleterre, il s'appelait en réalité Archibald Belaney, mais toute sa vie il s'était efforcé de passer pour un Indien.

146. Je me souviens que Boris Vian avait surnommé Sartre, Jean-Sol Partre et que Sartre appelait Simone de Beauvoir, Le Castor.

147. Je me souviens de Pépé, la guenon de Léo Ferré.

148. Je me souviens que le personnage principal de *La peste* s'appelle Bernard Rieux.

149. Je me souviens qu'à la fermeture du magazine *Le Temps fou*, la journaliste Mireille Simard avait titré son article : « Le Temps fou suspend son vol ».

150. Je me souviens de Charles Bukowsky, à *Apostrophes*.

151. Je me souviens que Bernard Pivot a dit un jour :
Un best-seller c'est d'abord des lettres, puis des chiffres.

152. Je me souviens que Romain Gary, écrivain soi-disant fini, avait réussi la plus extravagante mystification littéraire de tous les temps en publiant sous le nom d'Émile Ajar plusieurs romans, dont *La vie devant soi* qui obtint le prix Goncourt.

153. Je me souviens du scandale que causa la parution de *Lolita* aux États-Unis et aussi que le roman de Nabokov servit d'inspiration à des jeunes Iraniennes dans leur lutte contre la tyrannie durant les premières années de la révolution islamique en Iran.

154. Je me souviens que Proust crut longtemps qu'il faisait partie de *ces êtres sans disposition pour les lettres et qui n'ont pas de talent pour écrire.*

155. Je me souviens que, dans *La recherche*, le narrateur, apercevant la duchesse de Guermantes pour la première fois, s'étonne de lui découvrir *un petit bouton au coin du nez.*

156. Je me souviens de : *Dire que j'ai gâché des années de ma vie, que j'ai voulu mourir, que j'ai eu mon plus grand amour pour une femme qui ne me plaisait pas, qui n'était pas mon genre !*

157. Je me souviens qu'à un vernissage des œuvres de Roch Plante à la galerie Pink, mon amie Micheline Lachance, pour expliquer son retard, m'avait raconté avoir rencontré Réjean Ducharme dans la rue où elle avait passé une heure à jaser avec lui sous la pluie, pendant qu'à l'intérieur tout le gratin discutait du mystérieux écrivain que personne n'avait jamais vu.

158. Je me souviens qu'une des premières pièces de Robert Lepage s'appelait *Circulation*.

159. Je me souviens de : *Je parle fort et je ne suis pas ridicule*, et que *La face cachée de la lune* compte parmi les meilleurs films québécois des quinze dernières années.

160. Je me souviens que Gérald Godin était ministre de l'Immigration.

161. Je me souviens de Pauline Julien.

162. Je me souviens que l'artiste Mimi Parent avait fabriqué un fouet avec ses tresses, une œuvre qu'elle avait intitulée *Maîtresse*.

163. Je me souviens que Marie Laberge était actrice avant de devenir écrivain et qu'elle était dramaturge avant de devenir romancière.

164. Je me souviens qu'Atom Egoyan a réalisé une adaptation de *La dernière bande* de Samuel Beckett avec John Hurt dans le rôle de Krapp.

165. Je me souviens du film *Les bons débarras*.

166. Je me souviens de Jean-Louis Millette dans *Le passage de l'Indiana*.

167. Je me souviens que René Lévesque tenait son crayon entre le majeur et l'index.

168. Je me souviens de : *Si j'ai bien compris, vous êtes en train de me dire : à la prochaine fois.*

169. Je me souviens que Leonard Cohen avait écrit une très belle adaptation de *La petite valse viennoise* de Gabriel Garcia Lorca.

170. Je me souviens de :
Suzanne takes you down to her place near the river
You can hear the boats go by
You can spend the night beside her
And you know that she's half crazy...

171. Je me souviens que mon entrevue avec le cinéaste Jean-Claude Lauzon s'était très mal passée.

172. Je me souviens de *La solitude* de Léo Ferré.

173. Je me souviens du premier disque de Lewis Furey.

174. Je me souviens de Barbara en spectacle au Grand Théâtre de Québec et de Brigitte Fontaine au Petit Champlain.

175. Je me souviens de : *J'ai eu ben du fun à Jonquière.*

176. Je me souviens d'avoir recommencé une nouvelle 22 fois, avant de la jeter au panier.

177. Je me souviens de m'être souvenue que les romans de Diderot n'étaient pas appréciés de son vivant.

178. Je me souviens d'avoir fait 5000 kilomètres pour vérifier un détail au sujet d'un de mes personnages... Détail qu'en fin de compte, je n'utilisai pas.

179. Je me souviens d'avoir soumis mon manuscrit à une maison d'édition prestigieuse et d'avoir pensé : *De toute façon, c't'une gang de snobs !*

180. Je me souviens d'avoir lu dans un journal une critique élogieuse et d'avoir pensé que je la méritais.

181. Je me souviens de cette phrase de Chateaubriand :
Il vaut mieux être économe de son mépris étant donné le grand nombre de nécessiteux.

182. Je me souviens d'une page blanche.

183. Je me souviens de m'être dit *ce sera mon dernier livre* et d'en avoir commencé un autre le jour même.

184. Je me souviens d'avoir oublié certains chagrins...

185. Je me souviens de ton foulard rose et de notre premier baiser sur le quai du terminus Berri.

186. Je me souviens de la bibliothèque Sainte-Geneviève, à Paris, de la salle Richelieu à la Sorbonne et d'un appartement qui donnait sur la place du Panthéon où j'avais passé trois jours sans sortir à lire *Belle du Seigneur*.

187. Je me souviens de Madeleine Renaud dans *Oh les beaux jours*.

188. Je me souviens que le sociologue Marcel Fournier avait publié un très beau texte à la mort de Pierre Bourdieu.

189. Je me souviens du *Book of Kells* dans la librairie de Trinity College à Dublin.

190. Je me souviens de m'être procuré un essai intitulé *How the Irish Saved Civilization*, essai que finalement je n'ai jamais lu.

191. Je me souviens que l'artiste multidisciplinaire Rober Racine rêvait d'un parc de la langue française dans lequel figureraient tous les mots du dictionnaire.

192. Je me souviens de la dernière phrase de *Gatsby le Magnifique* : *Et nous luttons ainsi·barques à contre-courant, refoulés sans fin vers notre passé.*
Et aussi de cette règle d'or de Scott Fitzgerald, à savoir qu'*en littérature, tout peut servir.*

193. Je me souviens que dans *La disparition*, son roman écrit sans la lettre « e », Georges Perec, pour signifier qu'un personnage *est sur son trente-et-un*, emploie cette expression : *il rapparut mis sur son vingt-huit plus trois.*

194. Je me souviens que le même Georges Perec s'était inspiré d'un texte d'un Américain qui était davantage peintre qu'écrivain et qui s'appelait Joe Brainard.

195. Je me souviens que le texte de Brainard s'intitulait *I remember...* et que par la suite, ne pouvant plus s'arrêter, il signa *I remember More*, puis *More I Remember More*, et enfin *I Remember Christmas*.

196. Je me souviens de la casquette en tweed de mon père et des épinettes noires le long de la route quand on allait à la pêche.

197. Je me souviens de :
La Nature est un temple
Où de vivants piliers
Laissent parfois échapper d'étranges paroles
L'homme y passe à travers des forêts de symboles
Qui l'observent avec des regards familiers.

198. Je me souviens de la rivière Ashuapmushuan, du lac Waconichi, du lac Mistassini et du lac Guilman.

199. Je me souviens des lucioles et de leur ballet lumineux à la tombée de la nuit.

200. Je me souviens des iris et des buissons d'églantiers sur le bord de la voie ferrée.

201. Je me souviens de nos marches à marée basse, les pieds dans la vase, à Saint-Joseph-de-la-Rive.

202. Je me souviens du chant des cigales et de l'odeur de foin salin sur ta peau.

203. Je me souviens du bruit dans les feuilles du vieux peuplier derrière ta maison et de la musique que ça faisait.

204. Je me souviens de tes yeux verts.

205. Je me souviens d'avoir cherché *oxymoron*
dans le dictionnaire.

Achevé d'imprimer sur les presses de l'Imprimerie Gauvin
Gatineau (Québec)
premier trimestre 2008